J'apprends

Sami
et les pompiers

Emmanuelle Massonaud

hachette
ÉDUCATION

Avec Sami et Julie, lire est un plaisir !

Avant de lire l'histoire

- Parlez ensemble du titre et de l'illustration en couverture, afin de préparer la compréhension globale de l'histoire.
- Vous pouvez, dans un premier temps, lire l'histoire en entier à votre enfant, pour qu'ensuite il la lise seul.
- Si besoin, proposez les activités de préparation à la lecture aux pages 4 et 5. Elles permettront de déchiffrer les mots les plus difficiles.

Après avoir lu l'histoire

- Parlez ensemble de l'histoire en posant les questions de la page 30 : « As-tu bien compris l'histoire ? »
- Vous pouvez aussi parler ensemble de ses réactions, de son avis, en vous appuyant sur les questions de la page 31 : «Et toi, qu'en penses-tu ?»

Bonne lecture !

Conception de la couverture : Mélissa Chalot
Réalisation de la couverture : Sylvie Fécamp
Maquette intérieure : Mélissa Chalot
Mise en pages : Typo-Virgule
Illustrations : Thérèse Bonté
Édition : Emmanuelle Saint

ISBN : 978-2-01-707617-9
© Hachette Livre 2019.

Achevé d'imprimer en Espagne par Unigraf
Dépôt légal : mai 2019 - Édition 02 - 72/0764/9

Les personnages
de l'histoire

Pour préparer la lecture

1 Montre le dessin quand tu entends le son (an) comme dans p<u>an</u>talon.

2 Montre le dessin quand tu entends le son (ion) comme dans addit<u>ion</u>.

3 Lis ces syllabes.

| tin | pha | pon | gy | che | au |
| çon | ven | cou | eille | vrai | lieu |

4 Lis ces mots-outils.

5 Lis les mots de l'histoire.

un camion   un pompier   un gyrophare

une caserne   une nacelle   une lance

Ce matin, en arrivant à l'école, Sami est surexcité.

– Mon oncle David, le pompier, m'emmène visiter sa caserne samedi ! explique Sami. Et il veut bien que tu viennes aussi !

– Super ! répond Tom, surexcité à son tour.

Le samedi suivant, Tom et Sami, impatients, attendent David qui vient les chercher dans une superbe camionnette rouge.

– Chouette, on a un gyrophare ! s'écrie Tom.

– Oui, mais je ne vais pas l'allumer pour l'instant, répond David. Nous ne sommes pas en intervention...

À peine arrivés à la caserne, Tom et Sami sont hypnotisés par tous les véhicules rouges tout propres et bien garés. David propose aux garçons d'assister au cours de secourisme qui va commencer.

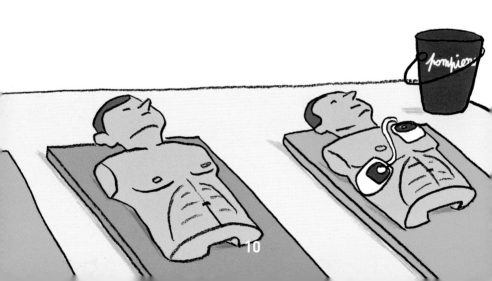

Tom et Sami sont très intimidés d'être au milieu de vrais sapeurs-pompiers...

Le sapeur Marie-Christine
enseigne comment faire
un massage cardiaque.
Mais Tom trouve beaucoup
plus rigolo de se servir de Sami
comme mannequin.

– Ne bouge pas, tu es évanoui !

lui ordonne-t-il. Et il se met

à appuyer sur la poitrine

de Sami.

Tout à coup, la sirène retentit...

Branle-bas de combat !

Les pompiers se précipitent
pour enfiler leur tenue
d'intervention : cagoule, gants,
casque... Vite, on signale
un début d'incendie au parc.

– Les garçons, vous pouvez
monter dans le camion.

Mais, surtout, ne gênez pas
les manœuvres. Il ne faut pas
perdre une minute.

« Pinpon, pinpon, pinpon ! »

David zigzague entre les voitures.

Tom et Sami sont ravis.

– On se croirait dans un film !

chuchote Sami à l'oreille

de Tom.

Arrivés au parc, les pompiers

dispersent les gens, et David

sort la lance d'incendie.

Soudain, tchac ! Un puissant jet

s'échappe. Le feu s'éteint

en quelques minutes.

« Bravo ! » applaudissent

les gens autour. Sami est fier

de son oncle David !

– David, David, je pourrais tenir

la lance avant qu'on la range ?

demande Sami.

19

Sami et Tom sont bien agrippés à la lance.

– Prêts ? demande David... J'allume !

Tom et Sami s'accrochent de toutes leurs forces à la lance.

Mais voilà que les garçons lâchent prise. Toute l'assemblée se retrouve mouillée !

Heureusement, David coupe l'eau très vite...

Voilà qu'arrive une vieille dame, affolée.

– Oh, là, là ! avec tout ce bruit, mon chat a pris peur. Il a grimpé dans l'arbre et ne veut plus en redescendre, gémit-elle.

– Rassurez-vous, madame, dit David, nous allons le récupérer.

– On peut monter sur la grande échelle ? s'exclame Sami.

Mais la grande échelle, c'est

beaucoup trop dangereux pour

Tom et Sami. La nacelle fera

mieux l'affaire. Ils accompagnent

David dans les airs, toujours

plus haut...

– Malo ! appelle David.

Le chat est terrorisé.

– Laissez-moi faire ! dit Tom.

Aidé par David, Tom s'approche

doucement du chat.

En bas, la foule retient son souffle. Tom s'étire, tenu par David...

– Je l'ai ! s'exclame Tom en saisissant Malo.

– Il est sauvé ! s'écrie David. Mission réussie ! Messieurs, je vous félicite ! Vous êtes de vrais pompiers en herbe !

Le lendemain de cette journée mémorable, une belle surprise attend encore Sami !

Deux jeunes sapeurs-pompiers
sauvent un chat au péril
de leur vie.

As-tu bien compris l'histoire ?

1 Qui emmène Sami et Tom visiter la caserne de pompiers ?

2 Quelle activité font Sami et Tom en arrivant à la caserne ?

3 Pourquoi les pompiers doivent-ils partir de toute urgence au parc ?

4 Pourquoi la vieille dame demande-t-elle de l'aide aux pompiers ?

5 Qui sauve le chat ?

Et toi, qu'en penses-tu ?

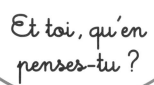

Aimerais-tu devenir pompier ?

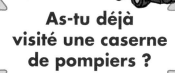

As-tu déjà visité une caserne de pompiers ?

Sais-tu expliquer quel est le rôle des pompiers ?

As-tu déjà vu des pompiers lors d'une intervention ?

Si tu ne souhaites pas devenir pompier, quel métier aimerais-tu faire ?

As-tu lu tous les Sami et Julie ?

Niveau 1 — Début de CP

 Tobi est malade
 Le tipi de Sami
 Miam Miam !
 Super Sami !
 Le CP de Sami
 Vive Noël !
 La nuit

 La dispute
 La liste de Sami
 Bonne fête Papa !
 Sami s'est perdu
 La malle de Papi
 Sami à Paris
 Sami est malade

Niveau 2 — Milieu de CP

 Sami sous la pluie
 Sami a des poux
 L'amoureux de Julie
 Sami et Julie attendent Noël
 L'anniversaire de Julie
 Il neige !
 Sami à la ferme

 Sami et Julie cherchent les œufs
 Sami et Julie en classe de découverte
 La galette des rois
 Le zoo
 La fête des mères
 Le carnaval de Sami et Julie
 Sami fait de la magie

Niveau 3 — Fin de CP

 Le château
 La dent de Julie
 Les groseilles
 Plouf !
 Le spectacle de Sami et Julie
 Le mariage

 Fous de Foot !
 Sami et Julie champions de ski
 Sami et les pompiers

Niveau CE1

 Sami rentre au CE1
 Sami et Julie fêtent Halloween
 Le réveillon de Sami et Julie
 Sami et Julie font des crêpes
 Le match de foot de Sami et Julie
 Vive les vacances !
 La nouvelle élève

 Tom va avoir une petite sœur
 Sami et Julie à Londres
 Julie veut devenir vétérinaire
 Le défi nature de Sami et Julie

hachette
ÉDUCATION